Puedes consultar nuestro catálogo en www.picarona.net

EL GRAN DÍA
Texto e ilustraciones: *François Roussel*

1.ª edición: septiembre de 2018

Título original: *Le grand jour*

Traducción: *David Aliaga*
Maquetación: *Montse Martín*
Corrección: *Sara Moreno*

Edita: Picarona, sello infantil de Ediciones Obelisco, S. L.
Collita, 23-25. Pol. Ind. Molí de la Bastida
08191 Rubí - Barcelona
Tel. 93 309 85 25 - Fax 93 309 85 23
E-mail: picarona@picarona.net

ISBN: 978-84-9145-193-8
Depósito Legal: B-19.258-2018

Printed in Spain

Impreso en España por SAGRAFIC
Passatge Carsí, 6
08025 - Barcelona

François Roussel

—Éste es un gran día para ti.
Ya estás lista.
Hoy aprenderás a volar.

—No no no.
No estoy lista.
Tengo miedo tengo miedo
tengo miedo tengo miedo
tengo miedo tengo miedo.

–Ya sabes que, a tu edad,
debes aprender a volar.
¿De qué tienes miedo?

–De todo de todo de todo
de todo de todo de todo
de todo de todo.

—Me dan miedo los gorriones,
me dan miedo los cuervos,
me dan miedo todos los pájaros.

—Me da miedo el anochecer;
me da miedo la oscuridad,
los murciélagos y la noche.

—Me da miedo la nieve,
en invierno llamo demasiado
la atención.

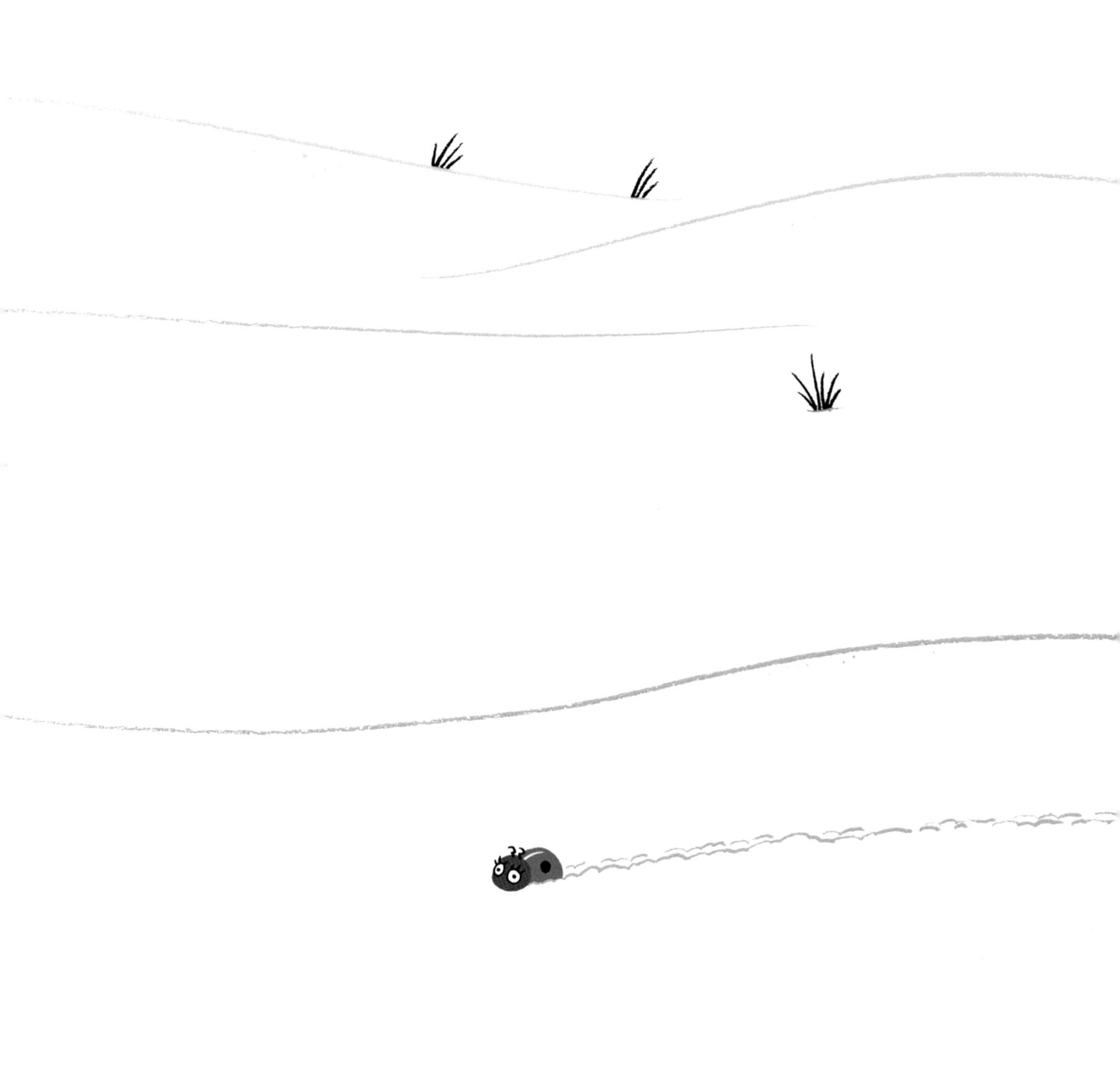

—Me da miedo el viento que sopla
y que gime, me da miedo
que me arrastre lejos de aquí.

—Me da miedo quedarme sola,
me da miedo estar allí arriba,
me da miedo caerme,
me da miedo que me aplasten.

—Tengo miedo tengo miedo
tengo miedo tengo miedo.
Me da miedo volar.
Quiero quedarme aquí.

—Bueno, está bien. Ya veo que aún no estás lista, así que hoy no te obligaré a volar.

—¿¡De verdad!?

—Sí, puedes ir a jugar.

—¡Sííííííí!

—Puedes hacer
todo lo que quieras.

—¡Síííí! ¡Síííí! ¡Síííí!

—Pero mañana volarás.

—No. Tengo miedo tengo miedo
tengo miedo tengo miedo
tengo miedo tengo miedo
tengo miedo...